au menu

Tout sur les fruits

Vic Parker

Texte français d'Ann Lamontagne

Éditions

SCHOLASTIC

Édition publiée par les Éditions Scholastic, 604, rue King Ouest, Toronto (Ontario) M5V 1E1.

5 4 3 2 1   Imprimé en Chine   CP141   10 11 12 13 14

Catalogage avant publication de Bibliothèque et Archives Canada

Parker, Victoria

Tout sur les fruits / Vic Parker ; texte français d'Ann Lamontagne.

(Au menu)
Traduction de: All about fruit.
Pour les 6-9 ans.

ISBN 978-1-4431-0117-2

1. Fruits--Ouvrages pour la jeunesse.
I. Lamontagne, Ann II. Titre. III. Collection: Au menu

TX397.P3714 2010   j641.3'4   C2009-904926-0

Auteure : Vic Parker
Conceptrice graphique : Kim Hall
Illustrateur : Mike Byrne
Directrice artistique : Zeta Davies

Références photographiques :

Légende : h = haut; b = bas; g = gauche;
                 d = droite; c = centre;
                 PC = page de couverture

Alamy 5h Blickwinkel, 12cg Stuart Forster, 14cg Per Karlsson – BKWine.com

Corbis 14b Jack K Clark

Photolibrary 9b Foodpix, 12b Douglas Peebles, 13c Raymond Forbes, 19bg AJJ Estudi

Rex Features 13h Sipa Press

Shutterstock 4hg Eric Gevaert, 4hc Andrjuss, 4hd Andrjuss, 4bg Zloneg, 4bd Valentyn Volkov, 5c Vondelmol, 5b Ricardo Manuel Silva de Sousa, 6g Zloneg, 6d Eric Gevaert, 6–7 Martine Oger, 7hg Valentyn Volkov, 7hd Andrjuss, 7c Whaldener Endo, 7bg Elena Schweitzer, 7bd Andrjuss, 8h Antonio Munoz Palomares, 8bg Khomulo Anna, 8bc Junial Enterprises, 8bd Branislav Senic, 9h Matka Wariatka, 11hg Serp, 11hd Stephen Aaron Rees, 11h (orange) Valentyn Volkov, 11c (banane) Andrjuss, 11c (kiwi) Tihis, 11c (fraises) Marek Mnich, 11bg (pomme) Bliznetsov, 11bg (banane) Yasonya, 11bc Victor Burnside, 11bd Yasonya, 12h Andrjuss, 12cd Alex Kuzovlev, 13b Christopher Elwell, 14h Andrjuss, 14cd Riekephotos, 15h Carolina K Smith, 15cg Morgan Lane Photography, 15cd Ultimathule, 15bg Lepas, 15bd Konstantynov, 16 Eric Gevaert, 17h Stephen Aaron Rees, 17b Serp, 18h Zloneg, 18c Paul Prescott, 18b Christopher Elwell, 19h Guy Erwood, 19c eAlisa, 19bdh Yellowj, 19bdb Oliver Hoffmann

Les mots en **caractères gras** figurent dans le glossaire de la page 22.

Table des matières

Qu'est-ce qu'un fruit?

Le fruit est la partie comestible d'une plante. Habituellement, c'est là que se trouvent les graines qui lui permettront de se reproduire.

Il existe plusieurs sortes de fruits dont les fraises, les oranges, les bananes, les raisins et les tomates.

Fraises

Bananes

Raisins

Tomates

Oranges

4

- un plant de bleuets
- un pot de 30 à 40 cm
- du **compost** et de l'**engrais** acides ou spécialement équilibrés pour éricacées
- un arrosoir

Cultive... un plant de bleuets

1 Peu importe la saison, mets simplement ton plant de bleuets dans un pot de 30 à 40 cm rempli de compost pour éricacées. Arrose-le d'eau de pluie et garde la terre humide.

2 Au printemps, quand les feuilles seront ouvertes, demande à un adulte de t'aider à fertiliser la terre avec de l'engrais pour plante éricacée.

3 À la fin du printemps, tu verras éclore des fleurs blanches. Continue d'arroser la terre et surveille l'apparition des petits fruits verts qui, en mûrissant, deviendront de délicieux bleuets.

En général, les fruits poussent sur des plantes, des buissons ou des arbres. Ils contiennent des graines.

⇨ La grenade renferme des centaines de graines.

5

D'où viennent les fruits?

Les fruits viennent de différentes régions du monde.

Chaque type de fruits a besoin de conditions particulières pour pousser. Certains fruits demandent beaucoup d'eau, d'autres préfèrent un climat chaud et sec.

Amérique du Nord

Amérique du Sud

Les tomates poussent bien quand il fait chaud. On les cultive en grande quantité au Mexique et aux États-Unis.

Les fraises aiment un climat chaud et sec. Leur culture est très répandue en Amérique du Nord.

6

Les oranges ont besoin de la chaleur du soleil. En Espagne et dans le sud de l'Europe, on en cultive en abondance.

Les raisins poussent sur les sols rocailleux impropres à la culture d'autres plantes. Ils sont largement répandus dans le sud de l'Europe.

Europe

Asie

Les agriculteurs chinois cultivent les litchis depuis la nuit des temps.

Afrique

Les bananes poussent sous un climat humide et chaud. C'est l'Inde qui en est le plus grand producteur au monde.

Océanie

Les dattes ont besoin d'un endroit chaud, sec et sablonneux. La plupart d'entre elles proviennent d'Afrique et du Moyen-Orient.

Les fruits sous toutes leurs formes

Tu peux manger les fruits frais, congelés, séchés, en conserve, ou en boire le jus à tout moment de la journée.

Au dîner, tu peux garnir ton sandwich au fromage de tomates.

Après souper, pourquoi ne pas savourer une salade de fruits?

Au déjeuner, tu peux ajouter des bleuets frais ou des raisins secs à ton yogourt ou à tes céréales.

Il te faut

- 6 glaçons
- 4 fraises
- 1 banane tranchée
- 2 boules de crème glacée à la mangue
- 150 ml de lait
- un mélangeur
- un verre

Prépare... un lait frappé

1 Broie la glace dans le mélangeur pendant 2 minutes.

2 Ajoute les autres ingrédients et mélange le tout pendant 40 secondes ou jusqu'à ce que la préparation soit homogène.

3 Verse le lait frappé dans un verre et régale-toi.

Il faut éplucher certains fruits avant de les manger, comme l'orange. D'autres, comme les prunes et les pommes, peuvent être mangés avec la peau. Toutefois, il faut bien les laver avant de les croquer.

⇧ Les fruits peuvent être transformés en confitures, en laits frappés et en bien d'autres délices.

9

Les fruits et la santé

Les fruits frais contiennent des vitamines, des minéraux et des fibres dont tu as besoin pour rester en bonne santé.

La plupart des fruits contiennent des fibres dont ton corps a besoin pour se débarrasser de ses déchets.

Certains fruits, comme les bananes, contiennent du fer nécessaire à la bonne qualité du sang.

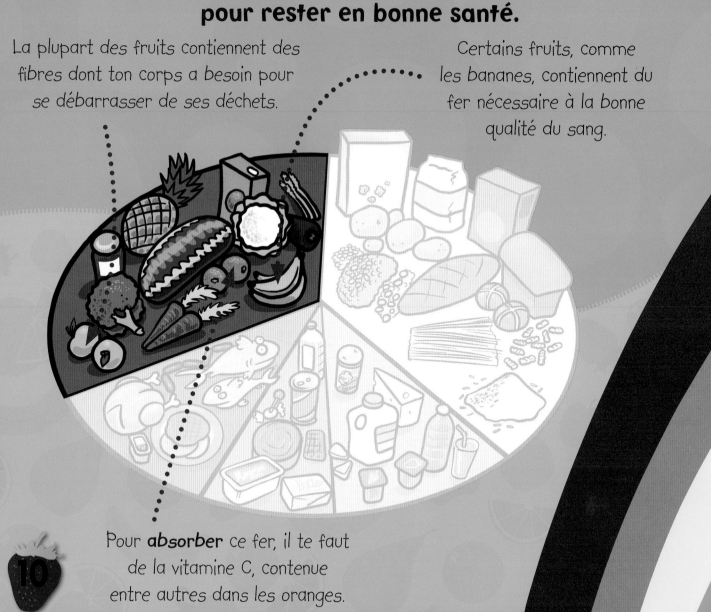

Pour **absorber** ce fer, il te faut de la vitamine C, contenue entre autres dans les oranges.

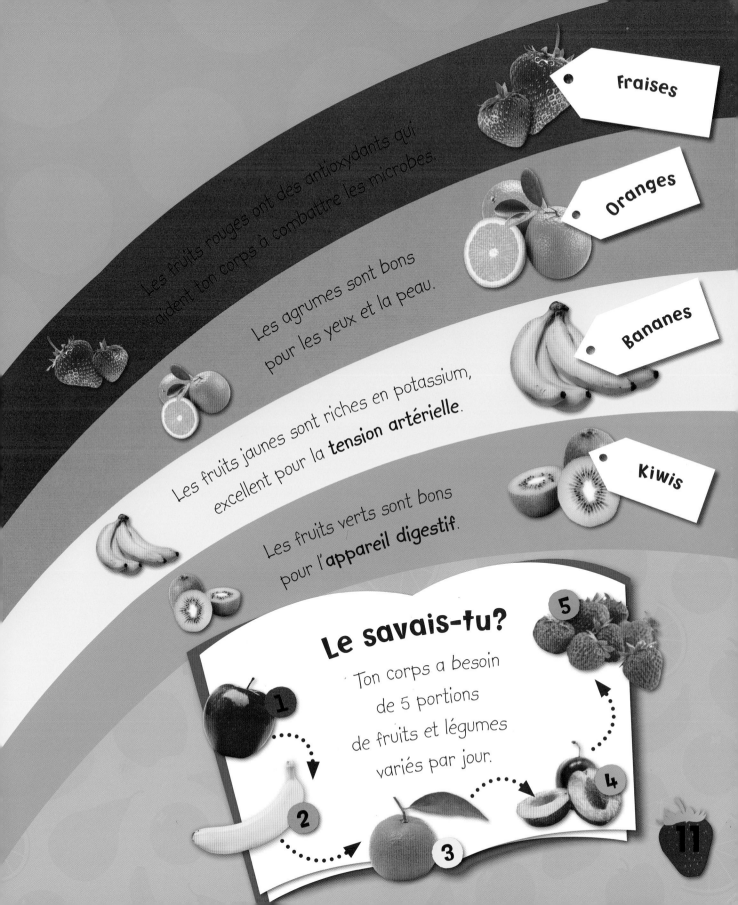

Fraises

Oranges

Bananes

Kiwis

Les fruits rouges ont des antioxydants qui aident ton corps à combattre les microbes.

Les agrumes sont bons pour les yeux et la peau.

Les fruits jaunes sont riches en potassium, excellent pour la **tension artérielle**.

Les fruits verts sont bons pour l'**appareil digestif**.

Le savais-tu?

Ton corps a besoin de 5 portions de fruits et légumes variés par jour.

1

2

3

4

5

11

La culture de la banane

Pour cultiver des bananes, les planteurs coupent des tiges souterraines de bananiers et les plantent.

1 Les tiges que les planteurs enfouissent dans la terre donnent des feuilles au bout de 3 ou 4 semaines.

Deux mois plus tard, un gros bourgeon se développe sous les feuilles. À mesure que la tige du bananier pousse, le bourgeon s'ouvre en grappes de petites fleurs.

2

3 Six mois après la plantation, les fleurs se transforment en fruits. Chaque grappe, ou régime, compte entre 10 et 20 bananes.

4 Après neuf mois d'attente, les planteurs récoltent les régimes de bananes encore verts sur les bananiers.

Lavées, mises en boîtes et gardées au frais, les bananes sont expédiées dans des entrepôts et des épiceries où la température ambiante les fait mûrir et jaunir.

5

Il te faut

- 1 boule de yogourt glacé
- 1 banane
- 50 g de fraises ou d'un autre fruit
- un couteau
- une coupe

Prépare... une banane royale

1 Mets le yogourt glacé dans une coupe.

2 Tranche la banane en deux sur la longueur et place les deux morceaux de chaque côté du yogourt glacé.

3 Ajoute des fraises avant de servir.

13

Raisins

La culture du raisin

Le raisin est cultivé à partir de boutures que les producteurs prélèvent sur la vigne.

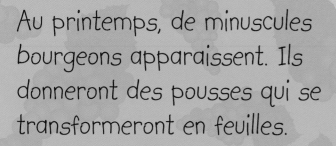

1 Les boutures sont plantées dans le sol et mettent environ trois ans à produire du raisin.

Au printemps, de minuscules bourgeons apparaissent. Ils donneront des pousses qui se transformeront en feuilles.

2

3 Environ deux mois après l'apparition des bourgeons, de petits groupes de fleurs se forment et, par la suite, deviennent des raisins.

4 Dans les grands **vignobles**, on fait la **récolte** des raisins à l'aide de machines semblables à des tracteurs. Elles ramassent les grappes de raisin.

Chaque automne, les vignes perdent leurs feuilles. Puis, à l'hiver, on les taille. Certaines vignes peuvent vivre jusqu'à 50 ans.

5

6

Le raisin est vendu frais dans les magasins ou transformé en jus ou en vin.

Le savais-tu?

Les raisins secs, ce sont des raisins... séchés.

Raisins secs

• Raisins de Corinthe

15

Fais pousser des fraises

Il te faut

- un pot à fraises
- du compost
- quelques débris de vaisselle ou de pot en terre cuite
- un fraisier pour chaque ouverture
- un arrosoir

1

Au printemps, mets les morceaux de vaisselle cassée au fond du pot. Recouvre-les de compost jusqu'à la première rangée de trous.

2

Place un fraisier dans chaque ouverture et ajoute du compost jusqu'à la deuxième rangée de trous.

16

Répète l'opération jusqu'en haut du pot. Place le pot dans un endroit ensoleillé et arrose les plants régulièrement.

Après environ deux mois, les fraisiers produiront de petites fleurs blanches qui deviendront des fraises. Quand les fraises seront mûres, il sera temps de les récolter.

Le savais-tu?

La fraise est le seul fruit qui porte ses graines sur sa peau.

17

Tomates

La culture de la tomate

La tomate a grand besoin de soleil, mais elle pousse aussi bien à l'intérieur qu'à l'extérieur.

1 Dans les régions chaudes, les agriculteurs sèment ou plantent les tomates dans les champs. Dans les régions froides, ils les cultivent en pots dans des **serres**.

Les plants ont besoin de beaucoup d'eau durant leur croissance. Certains agriculteurs ajoutent aussi de l'engrais pour les fortifier.

2

3

Pour éviter qu'elles ploient et cassent en grandissant, les tiges sont fixées à des tuteurs. Les fleurs jaunes qui apparaissent laisseront bientôt place à de petites tomates vertes.

On cueille habituellement les tomates encore vertes. On s'assure ainsi qu'elles arrivent en bon état dans les épiceries et les usines de transformation.

4

Déguste... une tomate

Goûte à une tomate Beefsteak, puis à une tomate cerise et compare leurs saveurs.

Tomates cerises

Tomates Beefsteak

19

Fais des biscuits aux fruits

Ces délicieux biscuits sont remplis de fruits.

Il te faut

- 150 g de flocons d'avoine
- 50 g de sucre
- 50 g de beurre ou de margarine et une petite quantité pour graisser le plat
- 2 c. à soupe de sirop de maïs
- 75 g de fruits séchés (raisins, abricots, etc.)
- une casserole
- une cuillère en bois
- un moule peu profond
- du papier ciré
- une plaque grillagée
- un couteau

1 Demande à un adulte de faire chauffer le four à 200 °C/400 °F.

2

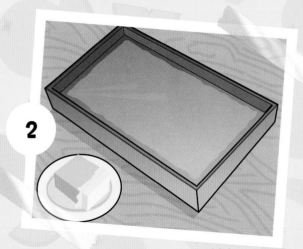

Graisse le moule avec du beurre et tapisse-le de papier ciré.

Demande à un adulte de mélanger le sirop de maïs, le sucre et le beurre, à feu doux. Ajoute les flocons d'avoine.

3

20

Verse la moitié de la préparation dans le moule et dispose les fruits séchés sur le dessus.

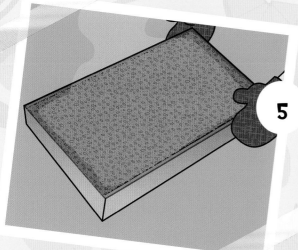

Verse le reste de la préparation sur les fruits. Fais cuire les biscuits au four 20 minutes, jusqu'à ce qu'ils soient légèrement dorés.

Demande à un adulte de couper les biscuits encore chauds en carrés et laisse-les refroidir sur une plaque grillagée.

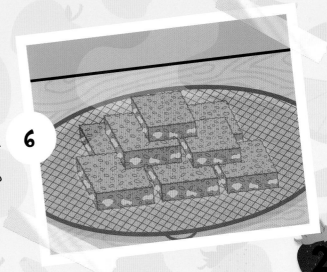

Glossaire

Absorber
Faire entrer en soi.

Appareil digestif
Tous les organes qui servent
à répartir les aliments, à les
transformer en énergie et à
débarrasser le corps de ses
déchets.

Compost
Débris organiques riches en
substances nutritives. Ajoutés à
la terre, ils la rendent plus fertile.

Engrais
Substance que l'on étend sur
les champs ou que l'on donne
aux plantes pour favoriser leur
croissance.

Fibres
Filaments qui se trouvent dans
les fruits et que le corps ne peut
transformer. Une fois ingérées,
les fibres s'imbibent d'eau et
facilitent l'évacuation des déchets.

Récolte
Action de cueillir ou de ramasser
les produits de la terre.

Tension artérielle
Mesure qui détermine comment
le sang circule dans le corps.

Serre
Construction en verre pour
les plantes qui ont besoin de
beaucoup de lumière pour
croître.

Vignobles
Terres où l'on cultive les vignes.

Notes aux parents et aux enseignants

- Présentez plusieurs aliments aux enfants, puis montrez-leur des fruits frais et faites-leur remarquer leur couleur, leur taille, leur forme et leur texture.

- Lisez les étiquettes qui indiquent la provenance des fruits au supermarché. Ensuite, avec les enfants, situez les pays qui produisent ces fruits sur une carte géographique ou un globe terrestre.

- Cherchez des photographies de fruits à différents stades de leur développement. Choisissez-en un que les enfants pourront dessiner et identifiez chaque partie de la plante (racines, tige, branches, feuilles et fruit).

- Parlez-leur de la façon de manger différents fruits. Peut-on manger la peau de celui-ci? Doit-on peler celui-là? Mange-t-on les graines? Montrez-leur des fruits transformés, séchés, en conserve ou congelés.

- Expliquez aux enfants pourquoi notre corps a besoin de fruits pour être en santé, pourquoi il est souhaitable que ces fruits soient variés et combien on devrait en consommer chaque jour.

- Montrez-leur comment intégrer différents fruits aux mets cuisinés. Proposez-leur de créer un livre de recettes faciles à réaliser, à base de fruits du monde entier, illustré de photographies.

Index